Petit Prix

30 recettes irrésistibles

SOMMAIRE

Petit Prix

DESSERTS

Tartelettes au fromage frais

Préparation 15 min • Cuisson 15 min • Difficulté facile

POUR 6 PERSONNES

- 1 rouleau de pâte brisée
- 500 g de fromage frais (Petit Billy)
- ½ concombre
- 2 tiges de menthe
- 1 cuill. à soupe de jus de citron
- 2 cuill. à soupe d'huile d'olive
- Beurre
- Sel, poivre

1 Préchauffez le four th 6 (180 °C). Beurrez douze mini-moules à tartelettes. Étalez la pâte sur le plan de travail et découpez des disques à la dimension des moules. Garnissez-les de pâte, puis recouvrez les fonds de tartelettes de papier sulfurisé et remplissez-les de haricots secs. Enfournez et faites cuire 15 minutes environ.

2 Lavez et pelez le concombre. Coupez-le en deux dans le sens de la longueur, épépinez-le, puis émincez-le en lamelles très fines. Mettez-les dans une passoire, salez et laissez dégorger.

3 Écrasez le fromage frais à la fourchette dans un saladier avec le jus de citron, l'huile d'olive, du sel et du poivre. Séchez les rondelles de concombre, ajoutez-les dans le fromage et mélangez bien. Rectifiez l'assaisonnement et réservez au frais.

4 Sortez les fonds de tartelettes du four et retirez le papier sulfurisé et les haricots secs. Démoulez les fonds de tarte, puis laissez-les refroidir sur une grille. Effeuillez les tiges de menthe. Garnissez les fonds de tartelettes de préparation, décorez de feuilles de menthe et servez bien frais.

IDÉE PLUS Vous pouvez remplacer le concombre par des lanières de jambon cru, des petits dés de poivrons ou une boîte de thon au naturel (égouttez-le et émiettez-le avant de l'incorporer au fromage frais).

Gougères aux champignons

Préparation 30 min • Cuisson 40 min • Difficulté facile

POUR 6 PERSONNES

— 150 g de farine

— 125 g de beurre

— 10 cl de lait

— 15 cl d'eau

— 4 gros œufs + 1 jaune

— 6 champignons de Paris

— 50 g de lardons allumettes

— 1 gousse d'ail

— 20 cl de sauce béchamel
   (recette page 32)

— Huile

— Sel, poivre

1 Versez l'eau et le lait dans une casserole avec une demi-cuillère à café de sel. Ajoutez le beurre en parcelles et faites-le fondre. Retirez la casserole du feu, versez la farine d'un seul coup et mélangez bien. Remettez sur le feu et remuez vivement avec une cuillère en bois jusqu'à ce que la pâte se décolle des parois. Retirez du feu.

2 Préchauffez le four th 6 (180 °C). Cassez les œufs un à un dans la pâte en mélangeant bien entre chaque. Remplissez une poche à douille de pâte et réalisez des petits tas espacés d'au moins 2 cm sur une plaque de cuisson huilée. Badigeonnez-les de jaune d'œuf battu avec un peu d'eau. Enfournez 20 minutes et baissez le four th 5 (150 °C) à mi-cuisson. Laissez refroidir hors du four.

3 Coupez les pieds des champignons. Épluchez les têtes et coupez-les en tout petits dés. Faites chauffer une cuillère à soupe d'huile dans une poêle et faites dorer les champignons, les lardons et l'ail haché, en remuant. Retirez du feu, salez et poivrez, puis ajoutez la béchamel en mélangeant.

4 Préchauffez le four th 7 (210 °C). Coupez les chapeaux des gougères. Mettez les gougères dans un plat allant au four, puis garnissez-les de farce et recouvrez des chapeaux. Enfournez pendant 3 à 4 minutes et servez.

IDÉE PLUS Vous pouvez simplement farcir vos gougères avec un reste de différents fromages. Coupez-les en petits morceaux, puis mélangez-les à la sauce béchamel.

Tartinade de thon

Préparation 20 min • Cuisson 5 min • Difficulté très facile

POUR 6 PERSONNES

- 250 g de thon au naturel en boîte
- 1 échalote
- 1 gousse d'ail
- ½ botte de ciboulette
- 2 cuill. à soupe de mascarpone
- ½ citron non traité
- 1 cuill. à café de baies roses
- 1 baguette aux graines
- Huile d'olive
- Sel, poivre du moulin

1 Préchauffez le four th 5/6 (170 °C). Égouttez le thon, puis émiettez-le. Râpez le zeste du citron, puis pressez le citron. Pelez l'échalote et ciselez-la très finement. Émincez la ciboulette.

2 Dans un bol, mélangez l'échalote, la ciboulette, le mascarpone, le jus et le zeste de citron. Salez, donnez quelques tours de moulin à poivre et mélangez bien. Incorporez les miettes de thon et mélangez jusqu'à obtention d'une préparation bien homogène.

3 Coupez la baguette en tranches et posez-les sur une plaque de cuisson recouverte de papier sulfurisé. Badigeonnez-les d'huile d'olive et enfournez 5 minutes, le temps qu'elles dorent.

4 Sortez la plaque du four. Coupez la gousse d'ail en deux, piquez une moitié sur une fourchette et frottez-en les tranches de pain. Tartinez généreusement les tranches de baguette de préparation au thon, parsemez de baies roses et servez.

IDÉE PLUS N'hésitez pas à utiliser un reste de pain un peu sec, vos toasts n'en seront que plus croustillants !

Rémoulade de céleri à la pomme

Préparation 10 min • Pas de cuisson • Réfrigération 1 h • Difficulté très facile

POUR 6 PERSONNES

- 1 quartier de céleri-rave
- 2 pommes Granny Smith
- 2 carottes
- 3 cuill. à soupe de jus de citron
- 1 cuill. à soupe de moutarde
- 1 jaune d'œuf
- Huile de tournesol
- Sel, poivre

1 Épluchez et râpez le céleri, les carottes et les pommes à l'aide d'une grosse râpe, et mettez-les dans trois saladiers distincts. Arrosez les pommes de jus de citron et mélangez.

2 Mélangez le jaune d'œuf et la moutarde dans un grand bol. Salez et poivrez. Incorporez l'huile en filet en fouettant sans arrêt jusqu'à obtention d'une mayonnaise souple.

3 Rassemblez le céleri, les carottes et les pommes dans un saladier, puis ajoutez la mayonnaise. Mélangez bien et rectifiez l'assaisonnement. Laissez reposer 1 heure au frais sous film alimentaire. Répartissez dans des petites assiettes et servez.

IDÉE PLUS Vous pouvez remplacer le céleri par d'autres légumes bon marché comme le chou blanc ou le chou rouge.

Soupe de légumes au lard

Préparation 20 min • Cuisson 50 min • Difficulté très facile

POUR 6 PERSONNES

- 6 tranches fines de lard fumé
- 3 pommes de terre
- 3 carottes
- 3 navets
- 2 branches de céleri
- 1 petite boîte de tomates pelées
- 3 petits oignons nouveaux
- 2 gousses d'ail
- 3 tiges de persil plat
- 1 cube de bouillon de volaille
- Poivre du moulin

1 Épluchez les carottes, les navets et les pommes de terre, puis coupez-les en petits cubes. Épluchez le céleri et coupez-le en tronçons. Pelez et émincez les oignons en rondelles. Pelez et écrasez l'ail.

2 Faites saisir les tranches de lard coupées en lanières dans une cocotte chauffée à blanc, jusqu'à ce qu'elles soient dorées et croustillantes. Retirez-les de la cocotte et réservez. Ôtez l'excédent de graisse de la cocotte, puis faites revenir les légumes, les oignons et l'ail pendant 5 minutes à feu doux en remuant.

3 Versez 2 l d'eau sur les légumes et portez à ébullition. Émiettez le cube de bouillon de volaille dans la cocotte, puis baissez le feu et poursuivez la cuisson 35 minutes à couvert. Rincez et effeuillez le persil.

4 En fin de cuisson, ajoutez les tomates pelées coupées en morceaux et les lanières de lard croustillant, et faites chauffer 5 minutes. Parsemez de persil, donnez un tour de moulin à poivre et servez.

> *IDÉE PLUS* Pour des saveurs épicées, ajoutez une pincée de piment d'Espelette juste avant de servir. Servez la soupe accompagnée de tranches de pain grillées et frottées à l'ail.

Croquettes de poisson

Préparation 20 min • Cuisson 30 min • Difficulté facile

POUR 6 PERSONNES

- 12 filets de merlu
  ou de cabillaud
- 50 cl de lait
- 2 œufs
- 6 cuill. à soupe rases
  de farine
- 4 cuill. à soupe
  de chapelure fine
- 1 cuill. à soupe de graines
  d'anis (facultatif)
- 3 branches de persil
- Huile de friture
- Sel, poivre

1 Rincez et effeuillez le persil. Hachez finement les filets de merlu au mixeur avec les graines d'anis et le persil. Diluez la farine dans deux cuillères à soupe de lait.

2 Faites chauffer le reste de lait. Juste avant l'ébullition, ajoutez la farine en fouettant sans cesse. Faites épaissir 10 minutes sur feu doux. Salez et poivrez bien, puis ajoutez le hachis de merlu et poursuivez la cuisson 5 minutes sur feu doux.

3 Versez la préparation dans un plat creux et laissez refroidir. Battez les œufs en omelette dans une assiette creuse et versez la chapelure dans une autre assiette. Façonnez des boulettes de farce au poisson, puis aplatissez-les légèrement avec la paume de la main.

4 Faites chauffer l'huile de friture. Trempez les croquettes dans l'œuf battu, puis passez-les rapidement dans la chapelure. Plongez-les dans l'huile très chaude, deux par deux, jusqu'à ce qu'elles soient bien dorées.

5 Retirez les croquettes à l'aide d'une écumoire, puis égouttez-les au fur et à mesure sur du papier absorbant. Renouvelez l'opération avec toutes les croquettes, puis salez et poivrez-les. Servez aussitôt.

IDÉE PLUS Les filets de merlu ou de cabillaud font partie des poissons les moins chers. Selon les ingrédients disponibles, vous pouvez réaliser de simples galettes de poisson sans les passer dans de l'œuf et de la chapelure.

Paupiettes de chou
farcies au merlan

Préparation 20 min • Cuisson 35 min • Difficulté facile

- 12 grandes feuilles de chou vert
- 6 filets de merlan
- 1 botte d'oseille
- 1 bouquet de persil
- 1 bouquet de cerfeuil
- 15 cl de bouillon de légumes
- 1 cuill. à soupe de crème fraîche épaisse
- 1 cuill. à soupe d'huile d'olive
- Sel, poivre

1 Faites blanchir les feuilles de chou 15 minutes dans une casserole d'eau bouillante. Égouttez-les à l'aide d'une écumoire et posez-les sur du papier absorbant. Épluchez et hachez grossièrement l'oseille.

2 Portez une casserole d'eau à ébullition. Coupez le feu, puis plongez délicatement les filets de poisson et faites-les pocher 5 minutes dans l'eau bouillante. Égouttez-les, puis hachez-les. Versez l'huile dans une casserole, puis faites revenir le hachis de poisson et le hachis d'oseille pendant 5 minutes. Salez et poivrez.

3 Faites chauffer le bouillon. Superposez les feuilles de chou deux par deux sur le plan de travail. Garnissez-les de farce au poisson, puis ficelez en paupiettes. Posez-les dans une sauteuse, arrosez du bouillon, puis couvrez et faites cuire 15 minutes à feu doux.

4 Effeuillez le persil et le cerfeuil, puis hachez-les. Hors du feu, incorporez le hachis d'herbes et la crème au bouillon. Salez et poivrez.

5 Égouttez les paupiettes et gardez-les au chaud. Versez un fond de sauce dans des assiettes, puis répartissez les paupiettes de chou farcies. Servez aussitôt.

IDÉE PLUS Rapides et économiques, les choux farcis font toujours impression. Selon la saison et le marché, vous pouvez remplacer le merlan par d'autres poissons peu onéreux : colin, merlu, filet de cabillaud, lieu noir...

Gratin de citrouille au poisson

Préparation 25 min • Cuisson 30 min • Difficulté très facile

- 500 g de filets de merlan (ou autre poisson blanc)
- 1 quartier de citrouille
- 3 pommes de terre
- 100 g de noisettes mondées (facultatif)
- 100 g de beurre demi-sel
- 30 cl de fumet de poisson
- Noix de muscade
- Sel, poivre

1 Coupez la citrouille en morceaux. Épépinez-la et retirez les filaments. Pelez et coupez les pommes de terre en cubes. Mettez les morceaux de citrouille et de pommes de terre dans une casserole. Couvrez d'eau à fleur, salez et portez à ébullition. Faites cuire 20 minutes.

2 Pendant ce temps, portez le fumet de poisson à ébullition, puis retirez du feu. Plongez les filets de merlan, couvrez et laissez pocher 10 minutes.

3 Concassez les noisettes. Égouttez les morceaux de citrouille et de pommes de terre. Passez-les au moulin à légumes et versez la purée obtenue dans une casserole. Placez sur feu très doux et incorporez le beurre coupé en parcelles, en remuant sans arrêt. Ajoutez une pointe de muscade, salez et poivrez. Mélangez bien.

4 Préchauffez le four th 6 (180 °C). Égouttez les filets de merlan à l'aide d'une écumoire et défaites-les en petits morceaux en retirant les arêtes éventuelles. Répartissez le poisson dans un plat à gratin beurré. Recouvrez de purée de citrouille, parsemez des noisettes et enfournez. Faites cuire 5 à 7 minutes. Servez dès la sortie du four.

IDÉE PLUS Profitez de la saison des citrouilles et achetez-en un quartier de plus. Détaillez-le en gros cubes et congelez-les : vous pourrez vous en servir pour réaliser des potages.

Brochettes de poulet au curry

Préparation 25 min • Cuisson 30 min • Réfrigération 1 h • Difficulté facile

- 6 blancs de poulet
- 2 carottes
- 2 courgettes
- 1 petit quartier de chou blanc
- 2 oignons tiges
- 2 yaourts veloutés nature
- 1 cuill. à soupe de curry en poudre
- Le jus d'un citron
- Sel, poivre blanc du moulin

1 Coupez les blancs de poulet en cubes et mettez-les dans un plat creux. Mélangez un yaourt nature avec le curry. Salez et poivrez. Versez le mélange sur les blancs de poulet et retournez-les pour bien les enrober. Placez au frais pendant 1 heure sous film alimentaire.

2 Épluchez les carottes et les courgettes. Détaillez-les en bâtonnets. Émincez finement le chou blanc. Faites cuire les carottes dans une casserole d'eau salée pendant 10 minutes, départ eau froide. Faites blanchir les courgettes et le chou dans de l'eau bouillante salée pendant 5 minutes. Égouttez et rafraîchissez-les. Égouttez bien et réservez au frais.

3 Préchauffez le four th 7 (210 °C). Piquez les cubes de poulet sur des brochettes et posez-les sur la plaque du four recouverte de papier aluminium. Enfournez pendant 20 minutes, en retournant régulièrement les brochettes pour qu'elles cuisent de tous les côtés.

4 Pressez le citron. Mélangez le second yaourt et le jus de citron. Salez, poivrez, puis émulsionnez. Versez la sauce au yaourt sur les légumes et mélangez bien.

5 Pelez et émincez les oignons tiges. Répartissez la salade de légumes dans des assiettes, puis posez les brochettes de poulet par-dessus. Parsemez des oignons émincés et servez.

IDÉE PLUS D'autres idées de sauce ou de marinade pour vos brochettes de poulet :
Yakitori : mirin/huile de sésame/miel/soja/gingembre
Thaï : huile d'arachide/citron vert/gingembre
Créole : Huile/citron/poudre de colombo/cubes d'ananas
Normande : cidre/huile/crème fraîche...

Poulet basquaise

Préparation 20 min • Cuisson 50 min • Difficulté très facile

POUR 6 PERSONNES

- 1 gros poulet entier coupé en morceaux
- 8 poivrons (rouges, verts et jaunes)
- 8 tomates
- 3 oignons rouges
- 15 cl de vin blanc sec
- 2 pincées de piment d'Espelette
- 1 branche de thym
- 4 feuilles de laurier
- 4 cuill. à soupe d'huile d'olive
- Sel, poivre

1 Ébouillantez les tomates quelques secondes, puis rafraîchissez-les, pelez-les et hachez-les grossièrement. Retirez le pédoncule des poivrons, coupez-les en deux, puis retirez les graines et les membranes blanches. Coupez les poivrons en lanières. Pelez et émincez les oignons.

2 Faites chauffer l'huile dans une cocotte et faites dorer les morceaux de poulet à feu vif. Salez et poivrez. Retirez les morceaux de poulet, puis remplacez-les par les poivrons et les oignons. Faites-les revenir à leur tour 10 à 15 minutes, en remuant souvent.

3 Versez le vin dans la cocotte et portez à ébullition, puis remettez les morceaux de poulet. Ajoutez les tomates, le thym, le laurier, le piment, du sel et du poivre, puis mélangez. Faites cuire 25 à 30 minutes à feu moyen et à couvert. Retirez le couvercle de la cocotte et poursuivez la cuisson 5 à 10 minutes.

4 À la fin du temps de cuisson, vérifiez l'assaisonnement de la sauce et sa consistance. Si la sauce est encore liquide, prolongez la cuisson jusqu'à ce qu'elle s'épaississe. Servez le poulet basquaise accompagné de riz ou de pâtes fraîches.

IDÉE PLUS Pensez aux découpes de poulet (hauts de cuisses, ailes, pilons...) qui sont souvent plus économiques qu'un poulet entier.

Tajine de poulet aux fruits d'été

Préparation 20 min • Cuisson 1 h 05 • Difficulté facile

- 1 poulet coupé
  en morceaux
- 200 g de pêches blanches
- 400 g d'abricots
- 20 cl de bouillon
  de légumes
- 1 cuill. à café de graines
  de pavot
- 1 bouquet de thym
- 4 cuill. à soupe d'huile
  d'arachide
- Sel, poivre

1 Préchauffez le four th 6 (180 °C). Faites chauffer l'huile dans une cocotte pouvant aller au four ou un tajine. Faites dorer les morceaux de poulet jusqu'à ce qu'ils soient bien dorés, puis salez et poivrez-les.

2 Ajoutez le bouillon de légumes dans la cocotte et couvrez. Enfournez et faites cuire 50 minutes.

3 Pelez les pêches. Prélevez la chair et coupez-la en dés. Coupez les abricots en morceaux.

4 À la fin du temps de cuisson, ajoutez les fruits dans le tajine et poursuivez la cuisson 10 minutes, toujours à couvert.

5 Effeuillez le thym. Retirez la cocotte du four. Parsemez le tajine de graines de pavot et de thym, et servez chaud.

IDÉE PLUS Selon la saison, remplacez les pêches et les abricots par des pruneaux, des figues ou des abricots secs.

Brochettes de dinde au curry,
salade fraîcheur

Préparation 25 min • Cuisson 15 min • Marinade 1 h • Difficulté très facile

Pour 6 personnes

- 1 kg de blancs de dinde
- 2 poivrons jaunes
- 2 oignons violets
- Le jus d'un citron
- 1 cuill. à soupe
de curcuma en poudre
- 1 cuill. à café de concentré
de tomates
- 1 pointe de purée
de piment
- 5 cl d'huile de tournesol
- Sel

Pour la salade fraîcheur :

- 4 tomates
- 1 concombre
- Le jus d'un demi-citron
- 1 pointe de cumin
en poudre
- 3 cuill. à soupe d'huile
d'olive
- Sel, poivre

1 Mélangez le jus de citron, l'huile de tournesol, le concentré de tomates, la purée de piment, le curcuma et du sel. Coupez les blancs de dinde en cubes et mettez-les dans un saladier. Arrosez de marinade et mélangez pour bien enrober la viande. Placez 1 heure au frais sous film alimentaire.

2 Préparez la salade fraîcheur : lavez les tomates et pelez le concombre, puis coupez-les en tout petits dés dans un saladier. Émulsionnez l'huile, le jus de citron, le cumin, du sel et du poivre, puis versez la vinaigrette sur la salade. Mélangez et placez au frais.

3 Lavez les poivrons. Épépinez-les et coupez-les en petits morceaux. Pelez et coupez les oignons en grosses rondelles.

4 Allumez le four en position gril. Piquez les morceaux de dinde sur des brochettes en alternance avec un ou deux morceaux de poivrons. Posez la grille du four sur la lèchefrite recouverte de papier sulfurisé. Posez les brochettes sur la grille et faites-les cuire 15 minutes, en les retournant et en les arrosant souvent de jus de cuisson.

5 5 minutes avant la fin de la cuisson des brochettes, faites griller les rondelles d'oignons. Servez les brochettes accompagnées des rondelles d'oignons et de la salade fraîcheur.

IDÉE PLUS Pensez à mettre des découpes de dinde dans votre liste de course, c'est une viande plus économique que le poulet.

Lasagnes méditerranéennes

Préparation 30 min • Cuisson 1 h • Difficulté facile

- 8 feuilles de lasagnes précuites
- 500 g de viande hachée (agneau, veau, bœuf, poulet...)
- 6 tomates bien mûres
- 3 aubergines
- 2 poivrons rouges
- 2 oignons
- 2 gousses d'ail
- 2 boules de mozzarella
- 2 tiges de thym
- Huile d'olive
- Sel, poivre

1 Préchauffez le four th 6 (180 °C). Lavez les aubergines et coupez-les en tranches fines dans la hauteur. Posez-les sur la plaque du four recouverte de papier sulfurisé. Arrosez d'un filet d'huile d'olive, salez et poivrez. Enfournez 15 minutes, puis retirez les aubergines.

2 Ébouillantez les tomates, puis pelez et hachez-les. Réservez le jus. Hachez les oignons et l'ail. Coupez les poivrons en bâtonnets fins.

3 Faites chauffer trois cuillères à soupe d'huile d'olive dans une sauteuse. Faites revenir le hachis d'oignons et d'ail, puis ajoutez les poivrons et faites cuire 10 minutes à feu doux. Ajoutez la viande hachée et poursuivez la cuisson 5 minutes, puis ajoutez les tomates et leur jus, le thym, du sel et du poivre. Mélangez et faites mijoter 20 minutes à feu doux.

4 Préchauffez le four th 6 (180 °C). Coupez la mozzarella en tranches. Huilez un plat à gratin. Tapissez le fond du plat d'aubergines, recouvrez d'une couche de viande, puis de lasagnes. Renouvelez l'opération et terminez par la mozzarella. Salez et poivrez, et enfournez 15 minutes. Servez dès la sortie du four.

> *IDÉE PLUS* En dehors de la saison ou s'ils sont trop chers, remplacez les légumes par une grosse boîte de ratatouille niçoise.

Filets de poulet
farcis à la provençale

Préparation 30 min • Cuisson 55 min • Difficulté facile

1 Épluchez les courgettes une bande sur deux et coupez-les en morceaux. Épépinez et coupez le poivron en petits dés. Ébouillantez les tomates, puis pelez-les. Coupez-en une en morceaux, puis épépinez et hachez grossièrement les deux autres. Rincez et hachez le basilic.

2 Faites chauffer trois cuillères à soupe d'huile dans une sauteuse. Faites revenir le poivron 5 minutes en remuant, puis ajoutez les courgettes, le hachis de tomates et le basilic. Salez et poivrez. Faites cuire 20 minutes à feu très doux et sans couvrir, en remuant régulièrement.

3 Préchauffez le four th 6 (180 °C). Écrasez les légumes à la fourchette dans un saladier pour obtenir une purée grossière. Incorporez la ricotta et rectifiez l'assaisonnement. Pelez et émincez les échalotes. Effeuillez le romarin.

4 Ouvrez les blancs de poulet en portefeuille, puis salez et poivrez l'intérieur. Garnissez-les de farce aux légumes et ficelez-les bien serrés. Mettez-les dans un plat allant au four et versez le bouillon. Ajoutez la tomate en morceaux, les échalotes et le romarin, puis arrosez la viande d'un filet d'huile. Enfournez 30 minutes, en arrosant régulièrement les filets farcis de jus de cuisson. Servez dès la sortie du four.

IDÉE PLUS En hiver, remplacez les légumes par des
fruits secs (pruneaux, dattes,
raisins...).

Gratin de macaronis

Préparation 15 min • Cuisson 40 min • Difficulté très facile

– 400 g de macaronis

– 50 g de comté

– 1 cuill. à soupe d'huile

Pour la sauce béchamel :

– 15 cl de bouillon de volaille

– 20 cl de lait frais entier

– 20 cl de crème liquide

– 25 g de beurre

– 25 g de farine

– Noix de muscade moulue

– Sel, poivre

1 Faites cuire les macaronis comme indiqué sur le paquet pour une cuisson al dente. Égouttez et passez-les sous l'eau froide pour les empêcher de coller entre eux. Versez les pâtes dans un plat à gratin huilé.

2 Préchauffez le four th 6 (180 °C). Préparez la sauce béchamel : dans une casserole, faites chauffer le beurre. Lorsqu'il est bien chaud, ajoutez la farine d'un seul coup en remuant. Quand le mélange commence à blondir, versez le lait, puis le bouillon de volaille et la crème. Faites cuire à feu doux, tout en fouettant jusqu'à obtention d'une sauce épaisse. Assaisonnez avec du sel, du poivre et une pincée de muscade.

3 Recouvrez les pâtes de sauce béchamel, puis râpez le fromage directement sur le gratin. Enfournez 20 minutes jusqu'à ce que le fromage ait fondu et gratiné. Servez aussitôt.

IDÉE PLUS Voici une recette idéale pour recycler un reste de pâtes. Vous pouvez ajouter une petite boîte de champignons de Paris dans la béchamel.

Tomates farcies

Préparation 20 min • Cuisson 1 h • Difficulté très facile

POUR 6 PERSONNES

- 12 grosses tomates rondes
- 350 g de viande hachée
- 350 g de chair à saucisse
- 2 tranches de pain de mie
- 5 cl de lait
- 2 gousses d'ail
- 1 bouquet de persil
- 1 cuill. à café de thym sec
- Huile d'olive
- Sel, poivre

1 Préchauffez le four th 5 (150 °C). Coupez les tomates aux trois quarts de leur hauteur et réservez les chapeaux. Évidez les tomates à l'aide d'une petite cuillère, salez l'intérieur et retournez-les sur du papier absorbant.

2 Effeuillez et hachez le persil. Pelez et hachez l'ail. Retirez la croûte du pain de mie et émiettez la mie dans le lait. Versez la viande hachée et la chair à saucisse dans un saladier. Ajoutez l'ail haché, la mie de pain et le lait, le persil haché et le thym. Salez et poivrez, et mélangez bien.

3 Garnissez les tomates de farce et posez-les dans un plat allant au four. Recouvrez des chapeaux, arrosez d'un filet d'huile d'olive et enfournez 1 heure. Servez accompagné de riz blanc.

> *IDÉE PLUS* N'hésitez pas à congeler vos restes de viande (poulet, porc, bœuf...) et sortez-les au moment de réaliser votre farce.

Haricots blancs à la tomate

Préparation 30 min • Cuisson 2 h • Repos 2 h • Difficulté très facile

POUR 6 PERSONNES

- 1 kg de haricots blancs secs (mogettes, cocos...)
- 500 g de tomates
- 50 cl de bouillon de légumes
- 1 feuille de laurier
- 1 botte de cerfeuil
- 2 cuill. à soupe de vinaigre balsamique (facultatif)
- 2 cuill. à soupe d'huile d'olive
- Sel, poivre

1 Faites tremper les haricots blancs dans de l'eau froide pendant 2 heures (ou la veille). Faites-les cuire ensuite dans une grande quantité d'eau bouillante pendant 1 heure.

2 Incisez les tomates, puis ébouillantez-les. Rafraîchissez-les sous l'eau froide, puis pelez et hachez-les.

3 Égouttez les haricots blancs. Versez d'huile dans une cocotte et faites revenir les tomates quelques minutes. Ajoutez les haricots, le bouillon, le laurier, du sel et du poivre. Portez à ébullition et faites cuire à feu doux pendant 1 heure.

4 En fin de cuisson, vérifiez que les haricots sont bien fondants et rectifiez l'assaisonnement si nécessaire. Effeuillez le cerfeuil et parsemez-en les haricots. Arrosez du vinaigre balsamique et servez aussitôt.

> *IDÉE PLUS* Invitez plus souvent les haricots secs à vos menus. Comme tous les légumes secs (pois chiches, lentilles, pois cassés...), ils sont très économiques et très riches en protéines végétales, en sucres lents et en fibres.

Joues de porc aux patates douces

Préparation 20 min • Cuisson 2 h 10 • Difficulté très facile

POUR 6 PERSONNES

- 1,5 kg de joues de porc
- 3 patates douces
- 1 citron vert non traité
- 2 gousses d'ail
- 1 oignon
- 20 cl de bouillon de volaille
- 1 petit bouquet d'estragon
- 50 g de beurre
- 1 cuill. à soupe d'huile d'olive
- Sel, poivre

1 Coupez le citron vert en quartiers. Pelez et hachez l'ail et l'oignon. Faites chauffer la moitié du beurre et l'huile dans une cocotte. Faites revenir les joues de porc jusqu'à ce qu'elles soient bien dorées.

2 Retirez la viande de la cocotte. Remplacez-la par le hachis d'ail et d'oignon, et les quartiers de citron. Faites-les dorer, puis remettez la viande dans la cocotte. Arrosez du bouillon, salez et poivrez. Faites cuire 2 heures à couvert en ajoutant un peu d'eau si nécessaire.

3 Préchauffez le four th 6 (180 °C). Pelez les patates douces et coupez-les en rondelles épaisses. Posez-les sur la plaque du four recouverte de papier aluminium. Parsemez du reste de beurre, puis salez et poivrez. Enfournez et faites cuire 15 minutes.

4 15 minutes avant la fin de la cuisson des joues de porc, ajoutez les rondelles de patates douces dans la cocotte et terminez la cuisson à découvert. Parsemez d'estragon ciselé juste avant de servir.

IDÉE PLUS Remplacez les patates douces par des pommes, des pruneaux, des navets…, et remplacez une partie du bouillon par un verre de vin blanc ou de cidre.

Pommes de terre boulangères

Préparation 20 min • Cuisson 1 h 15 • Repos 10 min • Difficulté très facile

Pour 6 personnes

- 1,5 kg de pommes de terre
- 6 oignons blancs
- 2 branches de thym
- 3 feuilles de laurier
- 25 cl de vin blanc sec
- 30 cl de bouillon de volaille
- 50 g de beurre
- Sel, poivre

1 Préchauffez le four th 6/7 (190 °C). Épluchez, puis émincez les pommes de terre et les oignons en rondelles fines et régulières. Mélangez-les avec le thym et le laurier.

2 Beurrez un grand plat à gratin. Étalez une couche de pommes de terre, puis une couche d'oignons et recouvrez d'une seconde couche de pommes de terre. Versez le vin et le bouillon dans le plat, puis salez et poivrez. Couvrez de papier sulfurisé et enfournez 45 minutes.

3 Retirez le papier sulfurisé et enfournez à nouveau. Faites cuire pendant 30 minutes. Éteignez le four, puis laissez reposer le gratin 10 minutes avant de servir.

Idée plus Voici une recette qui permet de changer du gratin dauphinois, en plus économique. Les pommes de terre boulangères peuvent accompagner de nombreux plats de viande (rôti de veau ou de porc, gigot d'agneau...). Vous pouvez ajouter 50 g de fromage râpé sur le dessus après avoir retiré le papier sulfurisé.

Rôti de porc confit au thym

Préparation 15 min • Cuisson 1 h 35 • Difficulté facile

POUR 6 PERSONNES

- 1 rôti de porc de 1,5 kg (filet ou échine)
- 1 l de lait entier
- 6 gousses d'ail
- 3 feuilles de laurier
- 4 brins de thym
- 1 cuill. à café de sucre en poudre
- Noix de muscade moulue
- 2 cuill. à soupe d'huile
- Sel, poivre du moulin

1 Effeuillez deux brins de thym. Pelez une gousse d'ail et coupez-la en lamelles. À l'aide d'un couteau pointu, piquez le rôti de porc à plusieurs endroits et insérez les lamelles d'ail.

2 Mélangez une cuillère à soupe de sel, une cuillère à café de poivre, le sucre en poudre et le thym effeuillé dans une assiette. Roulez le rôti dans la préparation et tapotez-le légèrement pour retirer l'excédent.

3 Faites chauffer l'huile dans une cocotte et faites dorer le rôti de porc sur toutes ses faces. Ajoutez les gousses d'ail en chemise, les feuilles de laurier et le reste de thym. Versez le lait dans la cocotte, puis ajoutez une pincée de muscade, du sel et du poivre. Couvrez et faites cuire 1 heure 30 à feu doux, en retournant le rôti plusieurs fois.

4 Sortez le rôti de la cocotte et réservez-le au chaud sous papier aluminium. Passez le jus de cuisson au chinois et faites-le réduire. Coupez le rôti en tranches, nappez de sauce et servez aussitôt.

IDÉE PLUS Privilégiez l'échine de porc, meilleur marché que le filet.

Pommes au four
à la confiture de mûres

Préparation 20 min • Cuisson 1 h • Difficulté très facile

- 6 grosses pommes acidulées
- 6 cuill. à soupe bombées de confiture de mûres
- 10 cl d'eau de fleur d'oranger
- 3 cuill. à soupe de miel
- 2 tranches de pain d'épices

1 Préchauffez le four th 5 (150 °C). Lavez et séchez les pommes. Coupez-les aux trois quarts de leur hauteur, puis évidez-les délicatement. Réservez les chapeaux. Dans une petite casserole, faites tiédir l'eau de fleur d'oranger avec le miel.

2 Posez les pommes évidées dans un plat allant au four et remplissez-les de confiture. Arrosez les pommes du sirop, recouvrez-les de leurs chapeaux et enfournez. Faites-les cuire 1 heure en arrosant régulièrement les pommes du jus de cuisson.

3 Juste avant de servir, faites griller les tranches de pain d'épices, puis émiettez-les grossièrement. Répartissez les pommes dans des assiettes et arrosez-les de jus de cuisson. Parsemez du crumble de pain d'épices et servez.

IDÉE PLUS Recyclez quelques tranches de pain de mie ou de brioche un peu rassise en les glissant sous les pommes, elles en recueilleront le jus.

Terrine fondante pommes-caramel

Préparation 20 min • Cuisson 1 h • Difficulté facile

POUR 6 PERSONNES

- 4 pommes
- 170 g de sucre en poudre
- 6 œufs
- 50 cl de lait entier
- 1 cuill. à soupe de fécule
- 30 g de beurre

1 Pelez et coupez les pommes en quatre. Retirez les cœurs et les pépins, puis coupez les pommes en cubes. Faites fondre le beurre dans une poêle et faites revenir les morceaux de pommes à feu moyen, en les retournant régulièrement jusqu'à ce qu'ils soient tendres et dorés.

2 Versez 50 g de sucre dans une casserole avec une cuillère à soupe d'eau. Faites cuire à feu doux jusqu'à obtention d'un caramel ambré. Versez-le aussitôt dans un moule à cake et inclinez le moule dans tous les sens afin de bien répartir le caramel.

3 Préchauffez le four th 6/7 (200 °C). Fouettez les œufs avec le reste de sucre jusqu'à ce qu'ils soient mousseux, puis ajoutez la fécule et mélangez. Portez le lait à ébullition. Aux premiers frémissements, retirez-le du feu et versez-le en filet sur les œufs, en fouettant sans cesse.

4 Faites chauffer un bain-marie. Versez la préparation dans le moule, puis ajoutez les morceaux de pommes en les enfonçant bien. Posez le moule dans le bain-marie et faites cuire 45 minutes.

5 Sortez le moule du four et du bain-marie. Laissez tiédir, puis démoulez la terrine dans un plat. Servez tiède ou froid.

IDÉE PLUS À réaliser aussi avec des poires caraméli-sées, ou pour une version exotique, avec une boîte d'ananas au jus. Dans ce cas, remplacez la moitié du lait par du lait de coco.

Œufs au lait

Préparation 20 min • Cuisson 40 min • Réfrigération 12 h • Difficulté facile

POUR 6 PERSONNES

- 1 l de lait frais entier
- 180 g de sucre en poudre
- 8 œufs entiers + 2 jaunes
- 1 gousse de vanille
- 30 g de beurre

1 La veille, préchauffez le four th 6 (180 °C). Dans un plat pouvant aller sur le feu et au four, versez 80 g de sucre et faites cuire à feu moyen jusqu'à obtention d'un caramel doré. Retirez le plat du feu et laissez reposer jusqu'à ce que le caramel durcisse. Beurrez généreusement les bords du plat.

2 Récupérez les graines de la gousse de vanille à l'aide de la pointe d'un couteau. Mettez-les dans un saladier avec le reste de sucre et les œufs. Fouettez vigoureusement quelques minutes afin de faire légèrement mousser la préparation, puis versez le lait. Mélangez jusqu'à obtention d'une préparation homogène et versez le mélange sur le caramel.

3 Posez le plat sur la lèchefrite et versez un verre d'eau bouillante dans la lèchefrite. Faites cuire pendant 35 à 40 minutes. Le dessus du flan doit dorer. Vérifiez que les œufs au lait sont cuits en enfonçant la pointe d'un couteau, elle doit ressortir propre mais humide. Laissez refroidir une nuit au réfrigérateur.

4 Le lendemain, passez un couteau sur le bord intérieur du plat. Couvrez-le d'une grande assiette et retournez-le rapidement afin de démouler les œufs au lait. Servez aussitôt.

IDÉE PLUS À réaliser aussi dans des ramequins individuels ; dans ce cas, préparez le caramel dans une casserole et versez-en un peu dans le fond de chaque ramequin. Comptez 25 minutes de cuisson.

Sablés à la crème au citron

Préparation 40 min • Cuisson 30 min • Réfrigération 2 h • Difficulté facile

Pour les sablés :

– 250 g de farine

– 130 g de beurre demi-sel froid

– 1 citron confit (facultatif)

– 125 g de sucre en poudre

– 1 œuf

– 1 pincée de sel

Pour la crème au citron :

– 3 citrons jaunes non traités

– 120 g de sucre en poudre

– 150 g de beurre doux

– 2 œufs

– 1 cuill. à café de Maïzena

1 Préparez les sablés : coupez le beurre en parcelles dans un saladier. Versez la farine, le sucre, l'œuf et le sel, puis amalgamez les ingrédients du bout des doigts jusqu'à obtention d'un sable jaune. Liez la pâte et travaillez jusqu'à obtention d'un pâton homogène. Placez 1 heure au frais sous film alimentaire.

2 Préchauffez le four th 6 (180 °C). Étalez la pâte sur 0,5 cm d'épaisseur. Découpez des disques de 5 cm, puis posez-les sur une plaque de cuisson garnie de papier sulfurisé. Faites cuire 15 minutes, jusqu'à ce que les sablés soient dorés. Laissez refroidir sur une grille.

3 Préparez la crème : coupez un citron en demi-rondelles très fines. Pressez les autres citrons et versez le jus dans une casserole. Fouettez vigoureusement les œufs avec le sucre et la Maïzena. Ajoutez-les au jus de citron, puis faites cuire à feu doux jusqu'à ébullition : la crème doit s'épaissir. Coupez le feu et laissez tiédir.

4 Mettez le beurre et la crème dans un récipient à bords hauts, et mixez longuement pour homogénéiser et aérer la crème. Versez-la dans une poche à douille cannelée, puis placez 1 heure au frais.

5 Garnissez les sablés d'une spirale de crème et décorez d'une demi-rondelle de citron confit avant de servir.

IDÉE PLUS La crème au citron est aussi économique que simple à réaliser. Vous pouvez l'utiliser pour garnir une tarte au citron ou simplement tartinée sur du pain ou des brioches. En version chic, dressez-la en verrines avec des bâtonnets de pâte sablée à la façon d'une tarte au citron revisitée.

Gâteau de pain perdu aux figues

Préparation 15 min • Cuisson 25 min • Repos 2 h • Difficulté très facile

POUR 6 PERSONNES

- 18 tranches épaisses de pain de campagne
- 2 figues sèches
- 50 g de raisins secs
- 5 œufs
- 40 cl de lait
- 2 cuill. à soupe de rhum (facultatif)
- 50 g de sucre roux
- 1 sachet de sucre vanillé
- 50 g de beurre

1 Faites tremper les raisins dans de l'eau tiède. Ôtez la croûte du pain. Hachez les figues. Faites chauffer le lait avec les sucres. Aux premiers frémissements, retirez du feu et versez dans un saladier.

2 Incorporez les œufs dans le lait en fouettant, puis versez le rhum, les raisins et les figues.

3 Préchauffez le four th 7 (210 °C). Beurrez un plat à gratin. Trempez rapidement les tranches de pain dans le lait. Rangez les tranches de pain dans le plat. Quand le plat à gratin est rempli, versez le reste de préparation par-dessus. Laissez reposer pendant 2 heures au frais.

4 Faites cuire 20 minutes, sortez le gâteau du four et servez tiède.

> *IDÉE PLUS* Ne jetez pas vos restes de pain, conservez-les dans un sac en toile et, dès que vous en avez suffisamment, réalisez ce gâteau de pain perdu.

Crumble aux pommes
et aux épices

Préparation 20 min • Cuisson 45 min • Congélation 10 min • Difficulté très facile

- 6 pommes
- 125 g de sucre roux
- 150 g de beurre
- 100 g de farine
- 4 tranches de pain d'épices

1 Coupez 125 g de beurre en parcelles et placez-le au congélateur pendant 10 à 15 minutes. Pelez et coupez les pommes en quatre. Retirez les cœurs et les pépins, puis coupez les quartiers en morceaux.

2 Faites fondre le reste de beurre dans une poêle, puis ajoutez les pommes et saupoudrez-les de 50 g de sucre roux. Faites-les revenir 10 minutes à feu moyen, en remuant régulièrement jusqu'à ce qu'elles soient dorées.

3 Préchauffez le four th 7 (210 °C). Faites griller les tranches de pain d'épices afin de les dessécher, puis émiettez-les grossièrement dans un saladier. Ajoutez le reste de sucre roux, la farine et le beurre froid coupé en parcelles. Travaillez du bout des doigts jusqu'à obtention d'un sable homogène.

4 Beurrez un plat allant au four. Versez les pommes fondantes et recouvrez-les entièrement du crumble au pain d'épices. Enfournez et faites cuire 35 minutes. Servez tiède accompagné de crème fraîche épaisse.

> *IDÉE PLUS* Le crumble est un dessert très économique, à réaliser avec des fruits un peu trop mûrs, un reste de brioche sèche émiettée...
> Voici quelques idées :
> - Poires, pépites de chocolat
> - Pommes, framboises surgelées
> - Abricots...

Poires pochées au chocolat

Préparation 15 min • Cuisson 30 min • Difficulté facile

POUR 6 PERSONNES

- 6 poires avec leur tige
- 300 g de chocolat noir
- 150 g de sucre en poudre
- 100 g d'amandes effilées
- 1 gousse de vanille

1 Versez le sucre dans une grande casserole pouvant contenir toutes les poires. Ajoutez 40 cl d'eau et la gousse de vanille fendue en deux dans la longueur. Portez à ébullition et laissez bouillir 5 minutes.

2 Pelez délicatement les poires et posez-les debout dans la casserole avec leur tige. Faites cuire pendant 20 minutes à feu doux, en les arrosant régulièrement du sirop. Égouttez les poires et laissez-les refroidir.

3 Préparez un bain-marie. Cassez le chocolat dans un saladier résistant à la chaleur. Ajoutez 5 cl de sirop de cuisson des poires et faites fondre le chocolat. Mélangez jusqu'à obtention d'une sauce épaisse et lisse, puis retirez du bain-marie.

4 Plongez les poires aux trois quarts dans la sauce au chocolat, puis disposez-les sur des assiettes. Faites dorer les amandes effilées dans une poêle chauffée à blanc. Parsemez-en les poires et servez aussitôt.

IDÉE PLUS Pour une recette sans chocolat, réalisez un sirop aux épices (cannelle, zeste de citron ou d'orange, rhum, gousse de vanille, clou de girofle, gingembre frais...) et laissez les poires refroidir dans le sirop pendant une nuit.

Tartelettes fines aux pommes

Préparation 20 min • Cuisson 20 min

POUR 6 PER SONNES

- 2 disques de pâte feuilletée

Pour la garniture :

- 6 pommes golden
- 1 gousse de vanille
- 60 g de cassonade
- 50 g de beurre demi-sel
- 1 pincée de cannelle
  en poudre
- 1 brin de menthe

1 Étalez les pâtes sur le plan de travail fariné et piquez-les à l'aide d'une fourchette. À l'aide d'un bol, découpez des disques dans la pâte, posez-les sur une plaque à pâtisserie recouverte de papier sulfurisé et réservez au réfrigérateur.

2 Préchauffez le four th 6/7 (200 °C) Coupez la gousse de vanille en deux, puis retirez les graines à l'aide de la pointe d'un couteau. Mélangez-les avec la cannelle à la cassonade.

3 Pelez les pommes, coupez-les en quartiers, retirez le cœur et émincez-les très finement. Disposez les lamelles de pommes en rosace sur les disques de pâte. Appuyez sur les pommes avec la paume de la main afin de les enfoncer légèrement dans la pâte. Elles adhèreront mieux et ainsi la pâte gonflera uniformément.

4 Saupoudrez les lamelles de pommes de sucre vanillé et ajoutez des petites noisettes de beurre. Enfournez et faites cuire pendant 20 minutes.

5 Sortez les tartelettes du four et laissez-les refroidir sur une grille. Décorez d'une feuille de menthe avant de servir.

IDÉE PLUS Vous pouvez remplacer les pommes par des poires. Pour les gourmands, servez cette tarte tiède accompagnée d'une boule de glace à la vanille.